O BELO PERIGO

Conversa com Claude Bonnefoy

Michel

FOUCAULT

O BELO PERIGO

Conversa com Claude Bonnefoy

EDIÇÃO E INTRODUÇÃO

Philippe Artières

TRADUÇÃO

Fernando Scheibe

autêntica

Título original: *Le beau danger*

EDITORA RESPONSÁVEL
Rejane Dias

EDITORA ASSISTENTE
Cecília Martins

REVISÃO
Aline Sobreira
Lívia Martins

PROJETO GRÁFICO E CAPA
Diogo Droschi
(capa sobre imagem de
Martine Franck/Magnum/Latinstock)

DIAGRAMAÇÃO
Carol Oliveira

Dados Internacionais de Catalogação na Publicação (CIP)
(Câmara Brasileira do Livro, SP, Brasil)

Foucault, Michel, 1926-1984
O belo perigo / Michel Foucault ; [tradução Fernando Scheibe] -- 1. ed. -- Belo Horizonte : Autêntica Editora, 2016.

Título original: Le beau danger.
ISBN 978-85-8217-576-7

1. Escrita - Filosofia 2. Foucault, Michel, 1926-1984 - Entrevistas I. Título.

15-01034 CDD-194

Índices para catálogo sistemático:
1. Filósofos franceses: Entrevistas 194

Belo Horizonte
Rua Carlos Turner, 420
Silveira . 31140-520
Belo Horizonte . MG
Tel.: (55 31) 3465-4500

Rio de Janeiro
Rua Debret, 23, sala 401
Centro . 20030-080
Rio de Janeiro . RJ
Tel.: (55 21) 3179-1975

São Paulo
Av. Paulista, 2.073,
Conjunto Nacional, Horsa I
23° andar . Conj. 2301 .
Cerqueira César . 01311-940
São Paulo . SP
Tel.: (55 11) 3034 4468

www.grupoautentica.com.br

Foucault e a arte da escrita

Jean Marcel Carvalho

Em livro recente[1] sobre a vida e a obra de Foucault, o historiador Paul Veyne narra duas passagens curiosas, que dão bem a dimensão do impacto que os ditos e escritos do filósofo francês causavam sobre os seus eventuais destinatários. A primeira diz respeito às aulas que ministrava no Collège de France, aulas lenta e minuciosamente lidas para o heterogêneo público que frequentava a instituição. Lá pelo ocaso da década de 1970, as suas lições tinham alcançado um sucesso notável: a sala de palestras reservada para os seus cursos vivia lotada, e a concorrência por lugares crescia dia a dia. A procura atingiu proporções tais que a direção do Collège de France se viu obrigada a instalar caixas de som nas salas anexas para atender, mesmo que parcialmente, a multidão

---

[1] VEYNE, Paul. *Foucault, sa pensée, sa personne*. Paris: Albin Michel, 2008 [edição brasileira: *Foucault: seu pensamento, sua pessoa*. Tradução de Marcelo Jacques de Morais. Rio de Janeiro: Civilização Brasileira, 2011].

que queria desfrutar do "estilo musical" do autor de *Vigiar e punir*. A segunda refere-se à recepção dos seus livros. Lembra Veyne que Foucault, com sua escrita peculiar e sedutora, conseguiu transformar uma obra difícil e extensa, *As palavras e as coisas*, em um verdadeiro *best-seller*, e que os seus livros causavam um estranho fascínio sobre os jovens colegiais, "fascínio mais por sua escrita do que por suas obscuras palavras".

Apesar desse inquestionável sucesso, o "estilo Foucault", porém, nunca suscitou muitas considerações do seu criador. Poucos são os escritos do filósofo que abordam diretamente a sua relação pessoal com a escrita e com os seus possíveis leitores. Daí a importância e, de certo modo, o ineditismo deste *O belo perigo* que o leitor tem agora em mãos. Publicado na França, em 2011, dentro da conhecida coleção Audiographie, coordenada pela École des Hautes Études en Sciences Sociales, este livro singular traz a transcrição da primeira de uma série de entrevistas que Michel Foucault concedeu, no outono de 1968, a Claude Bonnefoy – então um conhecido crítico literário da influente revista *Arts* –, entrevistas cujo mote central era, precisamente, a arte de escrever, seus limites e suas potencialidades.

É verdade que Foucault, ao longo de sua carreira, concedeu um sem-número de entrevistas, experimentando, inclusive, soluções peculiares, que testavam os limites do formato, como a singular entrevista anônima – o objetivo era anular os efeitos da notoriedade daquele que estava falando – concedida ao *Le Monde*, em 1980, cuja autoria seria conhecida somente depois da sua morte. É verdade, igualmente, que o filósofo lançou mão de dezenas de meios para dar a conhecer as suas ideias, dos livros às coletivas de imprensa, passando por aulas, artigos e até mesmo comícios. Diante de tamanha quantidade e diversidade, o que uma pequena entrevista, concedida em 1968 a um crítico literário, poderia trazer de novo para o entendimento de uma trajetória intelectual tão bem documentada?

Grande parte da singularidade de *O belo perigo* vem justamente da direção que Claude Bonnefoy deu às conversas com Foucault, conduzindo o entrevistado por um território de sua trajetória intelectual que, até aquela altura – quando acabava de redigir a *Arqueologia do saber* –, permanecia inexplorado: a sua relação afetiva com a arte da escrita. Ouçamos um pouco o próprio Bonnefoy na sua primeira intervenção: "Gostaria que essas conversas se situassem, se não em sua totalidade, ao menos em grande parte, à margem de seus livros, que elas nos permitissem descobrir o avesso deles, algo como sua trama secreta. O que me interessa em primeiro lugar é sua relação com a escrita". O direcionamento parece ter agradado Foucault, que, num tom surpreendentemente pessoal – o que é pouco frequente nas suas manifestações orais e escritas –, teceu longas e curiosas considerações sobre uma atividade, a seus olhos, fascinante mas traiçoeira.

O seu ponto de partida é um breve comentário acerca dos discursos que a sociedade ocidental estipulou como legítimos para os detentores do saber acadêmico, entre os quais a entrevista. Dito de modo resumido, Foucault inicia a sua fala avaliando o lugar daquele que concede entrevistas e salientando o quanto não estava à vontade por ocupar esse lugar. Daí, pondera o filósofo na sua primeira intervenção, o seu propósito de encontrar, ao longo da conversa, um tom que não se parecesse nem com um resumo de seus livros nem com uma explicação de sua obra, mas que também não resvalasse no discurso "confessional".

Feitas tais ressalvas, Foucault, enfim, adentra em sua experiência com a escrita, remontando à sua infância de filho de médico de província e à prevalência do oral sobre o escrito no meio em que vivia, ao seu pouco interesse pela escrita durante a juventude, à sua experiência como estrangeiro na Suécia e à mudança que isso trouxe na sua relação com a língua francesa, à redação dos primeiros livros e ao desabrochar – por volta dos 30 anos, como refere na entrevista – do seu gosto pela arte de escrever, uma arte para a qual julgava, até aquela data, ter um talento muito reduzido.

A profícua conversa com Bonnefoy, no entanto, não se resume a um rememorar pitoresco da vida do pensador, intercalada com considerações de ordem pessoal sobre a escrita. Foucault vai além e retira de cada passagem narrada agudas observações sobre os mecanismos de produção e controle da escrita nas sociedades contemporâneas e, sobretudo, sobre seu impacto nessas mesmas sociedades. Em meio a tais reflexões, o leitor ainda encontrará, aqui e ali, comentários acerca dos seus livros, especialmente sobre o último deles naquela altura, o polêmico *As palavras e as coisas* (1966), livro de escrita refinada e envolvente, que anunciava na sua conclusão, em tom solene, grandiloquente e propositalmente retórico, que o homem era uma invenção recente do pensamento ocidental e que sua história deixava entrever seu "fim próximo".

O belo perigo, em suma, é um pequeno grande livro, cuja leitura é obrigatória para todos aqueles que acreditam ser imprescindível, na produção de qualquer discurso com "pretensão à verdade" – para usar uma expressão cara a Foucault –, uma detida reflexão sobre a arte da escrita, sobre suas potencialidades, sem dúvida, mas também sobre suas muitas armadilhas e restrições.

INTRODUÇÃO

Fazer a experiência da fala

Philippe Artières

À memória de Alain Crombecque

Na história da recepção do pensamento de Foucault, deu-se uma série de acontecimentos que, em menor medida que no caso de Louis Althusser com a publicação de *O futuro dura muito tempo*,[1] contribuiu para modificar de modo duradouro a maneira de ler os livros assinados pelo autor da *História da loucura na idade clássica* e, de modo geral, de compreender seu pensamento. Por um lado, a publicação, em 1995, em vários volumes, dos *Ditos e escritos*[2] revelou a *fala* de Foucault: de repente, o leitor francês dispunha do conjunto dos rastros dos enunciados orais, recolhidos e já publicados, em colóquios, entrevistas ou outras manifestações públicas. Esse trabalho de coleta,

[1] ALTHUSSER, Louis. *L'Avenir dure longtemps*. Paris: IMEC-Stock, 1992 [Edição brasileira: *O futuro dura muito tempo; seguido de Os fatos: autobiografias*. Tradução de Rosa Freire D'Aguiar. São Paulo: Companhia das Letras, 1992.]

[2] FOUCAULT, Michel. *Dits et écrits*. Édité par Daniel Defert, François Ewald et Jean Lagrange. Paris: Gallimard, 1995. 4 v. [Edição brasileira: *Ditos e escritos*. Organização de Manoel Barros da Motta. Rio de Janeiro: Forense Universitária, 1999-2014. 10 v.]

tradução e compilação contribuiu para a construção de uma figura inédita para muitos, esquecida e reprimida por outros, a de um pensador engajado, inventando formas de tomar a palavra no espaço público, e a de um crítico permanente de seu próprio pensamento. Paralelo ao autor dos livros, existiu outro Foucault, de atos mais efêmeros. A revelação dessa dupla faceta da atividade do filósofo teve efeitos de recepção particularmente interessantes: sobretudo a noção de intelectual específico, reivindicada por muitos, a começar por Pierre Bourdieu,[3] ganhou nova força. A publicação das mesas-redondas e entrevistas permitiu uma recepção a distância dos principais conceitos foucaultianos por militantes contemporâneos – aqueles engajados, por exemplo, nos fóruns sociais mundiais ou em reivindicações de identidades sexuais.

Na sequência, a partir de 1997, veio a publicação na coleção Hautes Études (Gallimard, Le Seuil e Éditions de l'EHESS) dos cursos no Collège de France (1971-1984), e sua tradução no mundo inteiro. O *corpus* foucaultiano praticamente dobrou desde a morte do filósofo, em 1984. Até então, alguns de seus cursos circulavam na forma de fitas cassete ou transcrições

[3] A influência de Foucault sobre Bourdieu, especialmente no projeto político do coletivo "Raisons d'Agir" [Razões de agir], foi sublinhada pelo próprio sociólogo em diversas oportunidades: ver principalmente BOURDIEU, Pierre. La Philosophie, la science, l'engagement [A filosofia, a ciência, o engajamento]. In: ERIBON, Didier (Éd.). *L'Infréquentable Michel Foucault: renouveaux de la pensée critique* [O infrequentável Michel Foucault: renovações do pensamento crítico]. Actes du colloque au Centre Georges-Pompidou, 21-22 juin 2000. Paris: EPEL, 2001. p. 189-194.

grosseiras, e o professor Foucault era mal conhecido, ignorado ou, ao contrário, privilégio de alguns iniciados pouco interessados em compartilhar seu conhecimento. A edição dos cursos rompeu bruscamente essa situação e tornou acessível a todo leitor do início do século XXI não apenas uma aula, mas um curso e, com o término da edição, um ensino em todo o seu desdobramento. À questão: "O que é intervir?" veio se acrescentar uma nova: "O que é ensinar?".

Mais ainda, esse duplo acontecimento editorial de repente revelou a todos a extraordinária diversidade dos registros de linguagem mobilizados pelo filósofo em seu percurso e, através dela, a força de seu investimento no discurso oral. Em outros termos, essa diversidade mostra como existe não apenas uma estratégia da tomada da palavra em Foucault, mas também, e sobretudo, uma permanente busca ética da palavra. O mais belo testemunho dessa atitude é decerto tê-la transformado, no final de seu ensino, numa questão filosófica, a do "dizer verdadeiro". Acreditamos que esta conversa com o crítico Claude Bonnefoy se inscreve nessa mesma matriz: logo depois de publicar *As palavras e as coisas*, Foucault empreende uma nova experiência de linguagem.

Essa prática da tomada da palavra recorda aquela de que Claude Mauriac foi o formidável cronista em seu diário, restituindo conversas telefônicas, diálogos, jantares ou reuniões.[4] Em Foucault, ela

[4] MAURIAC, Claude. *Le Temps immobile 3: Et comme l'espérance est violente* [O tempo imóvel 3: E como a esperança é violenta], Paris, Grasset, 1976.

foi não apenas singular como também, em geral, profundamente controlada. É como se o filósofo tivesse desenhado em filigrana uma geografia de seus gestos de linguagem, uma geografia bem diferente daquelas, por exemplo, de Jean-Paul Sartre,[5] Emmanuel Levinas ou ainda Jacques Derrida. Milhas distante de um filósofo que, de pé sobre um barril, indica o caminho para os trabalhadores, Foucault fez um uso da fala que, por certo, recobria às vezes práticas próprias aos intelectuais franceses dos anos 1960, mas que, acima de tudo, fazia parte de seu trabalho específico de filósofo. Falar, para Foucault, era se inscrever, ou não, numa ordem dos discursos, mas era também problematizar, no próprio gesto, essa prática. Assim, não é de se estranhar que, hoje, dramaturgos e atores se interessem por Foucault.[6] Para ele, falar era reinventar incessantemente um novo teatro, um teatro profundamente político.

Essa geografia da voz, essa "audiografia", é composta de atos de fala públicos muito diversos, dos quais é possível estabelecer uma tipologia sucinta, por ordem de volume. Há, em primeiro lugar, a imponente massa de textos do "professor Foucault" (seminários, cursos, comunicações, conferências); em segundo, as discussões científicas e políticas (mesas-redondas,

---

[5] COLOMBEL, Jeannette. Contrepoints poétiques [Contrapontos poéticos]. *Critique*, p. 471-472, août-sept. 1986; *Michel Foucault*. Paris: Odile Jacob, 1994.

[6] A título de exemplo, podemos citar o *Collectif F71*, que obteve em 2009 o prêmio do jovem Théâtre Odéon com um espetáculo sobre Foucault e suas tomadas da palavra política.

diálogos, entrevistas, conversas); em terceiro, as declarações (intervenções em encontros, manifestações, reuniões, mas nada de troca polêmica, prática a que Foucault é totalmente refratário); e, finalmente, as ocasiões em que foi obrigado a tomar a palavra (da prova didática no concurso para professor secundário aos interrogatórios, passando pelas audições diante de comissões e pelas convocações).

Essa audiografia também tem seus lugares. Alguns são institucionais e previsíveis: o anfiteatro universitário ou o estúdio radiofônico; outros são mais insólitos: o diálogo sobre os intelectuais e o poder teve como palco a cozinha de Gilles e Fanny Deleuze, em Paris, e foi na mítica cidadezinha de Vézelay que Foucault conversou com Maurice Clavel. Seria preciso ainda citar as ruas de Nancy depois da revolta dos detentos do presídio Charles III ou as ladeiras do bairro Goutte d'Or, em Paris.

Aqui, Foucault responde às perguntas de Claude Bonnefoy, crítico literário da revista *Arts*, com quem estabeleceu uma longa conversa, dividida em vários encontros; as sessões ocorreram no verão-outono de 1968, provavelmente na casa de Foucault, na Rue du Docteur-Finlay, e ainda não no apartamento da Rue de Vaugirard, que ele só comprou ao voltar da Tunísia. A transcrição do primeiro encontro é o objeto desta publicação.

Essa geografia deixou rastros mais ou menos profundos nos arquivos. Aqui, uma gravação grosseira numa fita magnética (por exemplo, suas conferências no Brasil, no Japão e no Canadá, e, sobretudo, seus cursos no Collège de France) ou um texto estabelecido pelo próprio Foucault (como numerosas entrevistas reunidas nos *Ditos e escritos*), ali, uma transcrição de enunciados, acolá, notas tomadas por uma testemunha, frequentemente um estudante, como quando Foucault era professor na École Normale Supérieure da Rue d'Ulm, ou, enfim, apenas uma imagem de Foucault falando, mas para sempre mudo: a célebre foto do filósofo numa rua do bairro Goutte d'Or, em 1971, megafone na mão, rodeado por Claude Mauriac, Jean Genet e André Glucksmann. Por vezes, não há rastros, a fala voltou ao silêncio, como em Bucareste, ao longo dos anos 1960, ou na Sorbonne, em 1969.[7] O que Foucault estava dizendo aquele dia na tribuna? Ninguém mais sabe. A conversa com Bonnefoy é um caso interessante desse ponto de vista arquivístico. O datiloscrito da entrevista está conservado nos arquivos da Associação do Centro Michel Foucault. Essa transcrição, provavelmente feita pelo próprio Bonnefoy, não traz nenhuma correção ou acréscimo de Foucault. As fitas desapareceram. As vozes se calaram. Em 2004, por ocasião dos 20 anos da morte de Foucault, foi feita uma "encenação sonora" da entrevista em duas noites na Radio France, durante o Atelier Foucault que concebi com Alain Crombecque e Daniel Defert; o ator Éric Ruf

---

[7] Ver *Michel Foucault: une journée particulière* [Michel Foucault: um dia particular]. Fotografias de Élie Kagan, textos de Alain Joubert e Philippe Artières. Lyon: Ædelsa, 2004. Ver também www.michel-foucault-archives.org.

emprestou sua voz a Foucault, e Pierre Lamendé, a sua a Bonnefoy. Uma gravação dessa leitura foi publicada nas edições Gallimard, sob forma de CD, naquele mesmo ano. Num suplemento do jornal *Le Monde* consagrado ao Festival de Outono de 2004, também foram publicadas as primeiras páginas dessa transcrição, acompanhadas de retratos fotográficos do filósofo feitos na mesma época.

Esses arquivos um tanto heterogêneos, frequentemente lapidares, esboçam um mapa que nada tem de circunstancial, já que está estreitamente ligado ao projeto foucaultiano. No percurso do intelectual Foucault, é óbvio que um grande número desses acontecimentos de linguagem está relacionado a sua trajetória de vida e se inscreve num contexto histórico que ilumina essa mesma trajetória. É preciso, portanto, recordar que 1968 foi um momento excepcional de intensa tomada da palavra por parte dos estudantes, dos trabalhadores, mas também dos intelectuais.[8]

Penso que duas práticas são exemplares dessa postura foucaultiana: a coletiva de imprensa e a entrevista. Haveria muito a dizer sobre a maneira como, em alguns de seus livros, Foucault rompe o discurso unívoco, introduzindo diálogos, como no fim da *Arqueologia do saber*; seria preciso analisar a maneira como ele ministrava seus cursos no Collège de France, usando certo gestual, praticando prazerosamente a leitura em voz alta de suas fontes, ou,

---

[8] CERTEAU, Michel de. *La Prise de parole* [A tomada da palavra]. Paris: Éditions du Seuil, 1994.

enfim, trabalhando sobre seus monólogos radiofônicos para a emissora France Culture nos anos 1960.[9] Se evocamos a entrevista e a coletiva de imprensa, é porque se trata de duas práticas de regras fixas e que esclarecem perfeitamente a experiência feita com Claude Bonnefoy. Em ambos os casos, Foucault não inventa essas tomadas da palavra, mas as subverte.

A prática da coletiva de imprensa se estabelece, alguns anos após a conversa aqui publicada, ao longo dos anos 1971-1972, quando Foucault participa do Grupo de Informação sobre as Prisões (GIP). Ligada ao anseio de fazer da informação uma luta, essa prática se insere no contexto repressivo francês pós-68,[10] já que as principais organizações políticas de extrema-esquerda tinham sido então dissolvidas pelo governo. O filósofo não mede esforços, indo para a frente das prisões dialogar com as famílias, representando com os atores do Théâtre du Soleil *sketches* no coração das periferias. Durante essas intervenções, Foucault faz a experiência de exercícios da fala inéditos para ele. Trata-se de submeter a filosofia à prova desses exercícios.[11]

A coletiva de imprensa não pertence a essas práticas experimentais; seu teor é extremamente

---

[9] Escute-se, por exemplo, *Utopie et hétérotopies* [Utopia e heterotopias]. Édité par Daniel Defert. Paris: INA, 2004. 1 CD.

[10] ARTIÈRES, Philippe; QUÉRO, Laurent; ZANCARINI-FOURNEL, Michelle. *Le Groupe d'Information sur les prisons: archives d'une lutte, 1970-1972* [O Grupo de Informação sobre as Prisões: arquivos de uma luta, 1970-1972]. Paris: IMEC, 2003.

[11] BOULLANT, François. *Michel Foucault et les prisons* [Michel Foucault e as prisões]. Paris: PUF, 2003.

codificado; ela constitui um dispositivo de tomada da palavra geralmente utilizado pelo poder para orquestrar a divulgação de seu discurso. Os jornalistas são convocados para a coletiva de imprensa de um ministro ou do presidente da República. Essa reunião, durante a qual uma ou mais personalidades se dirigem a jornalistas para informá-los de um acontecimento ou de uma decisão, desenvolve-se geralmente em dois tempos: a declaração do entrevistado, depois um diálogo com o auditório. O dispositivo material é extremamente fixo e não deixa de evocar o do ensino. O entrevistado está atrás de uma escrivaninha, frequentemente mais alta, enquanto os auditores estão em cadeiras à sua frente. O poder de falar é aqui duplicado por uma dominação física. É precisamente esse dispositivo que Foucault ataca ao longo dos anos 1971-1972, ou seja, bem na época em que obtém sua cátedra no Collège de France. O filósofo subverte essa encenação do poder da palavra ao menos de três maneiras.

A primeira coletiva de imprensa de que participa ocorre em 8 de fevereiro de 1971, em companhia de Jean-Marie Domenach e Pierre Vidal-Naquet. É nela que se anuncia a criação do GIP. O manifesto do grupo é lido e, na sequência, amplamente veiculado na imprensa francesa. Esse anúncio faz parte da coletiva de imprensa organizada na capela Saint-Bernard, na estação Montparnasse, pelos advogados de militantes maoístas presos que, após longas semanas de luta pela obtenção do estatuto de prisioneiros políticos, tomam ciência oficialmente de que sua reivindicação foi atendida e anunciam o fim da greve de fome que estavam fazendo. Trata-se, portanto, de uma tomada da palavra vitoriosa sobre o ministro da Justiça, René Pleven, e ainda por cima num lugar que não é neutro, uma capela, lugar de outro poder de palavra, o religioso. Ora, o que Foucault faz? Participa dessa coletiva de imprensa, não para desviá-la ou resgatá-la, mas para prolongá-la. Faz desta não um lugar de exposição, não um espaço de declaração, mas um momento de atenção. Informa que uma investigação foi iniciada nas prisões para saber o que está acontecendo nelas, quem vai para elas, etc. Às palavras vitoriosas, apõe um questionário; ao tom exclamativo, acrescenta um pouco de interrogativo. A coletiva de imprensa é assim invertida, o entrevistado faz as perguntas no lugar do auditório. Aquele que fala não enuncia verdade alguma, simplesmente interroga evidências.

A coletiva de imprensa que ocorre num anfiteatro universitário alguns meses depois, em 21 de junho de 1971, é de natureza completamente diferente. Dessa vez, Foucault não se convida para a mesa: é um daqueles que a convocaram. Trata-se do "caso Jaubert", jornalista do *Nouvel Observateur* que foi espancado pela polícia à margem de uma manifestação parisiense de antilhanos na primavera de 1971, quando estava socorrendo uma pessoa ferida, alheia à passeata. Ao ser liberado pela polícia, uma comissão de investigação não oficial foi constituída para se informar sobre o que realmente tinha ocorrido aquele dia, já que o Ministério do Interior havia declarado que Jaubert agredira e insultara os policiais. Jornalistas de publicações tão diferentes quanto *Le Figaro*, *Le Monde*, *Le Nouvel Observateur*, advogados e diversos intelectuais, entre os quais Foucault, participaram dessa comissão. Durante a coletiva de imprensa de 21 de junho, que se sucedeu a uma primeira, ocorrida algumas semanas antes na casa de Jacques Lacan, na qual fora anunciada a criação da comissão, quatro oradores intervêm: Claude Mauriac, Denis Langlois, advogado da Liga dos Direitos do Homem, Gilles Deleuze e Michel Foucault. Uma brochura é publicada nessa ocasião e constitui, além de algumas poucas fotografias, o único arquivo desse acontecimento. Os entrevistados não denunciam simplesmente uma operação de desinformação, mas analisam a maneira como o poder da palavra é exercido através de um comunicado oficial do Ministério do Interior. Com ironia, e por meio de uma explicação de texto rigorosa, os quatro desmontam os mecanismos dessa tomada da palavra arbitrária, opondo-lhe a palavra coletiva das testemunhas.

Quase seis meses depois desse caso, uma série de revoltas agita as prisões; primeiro no presídio Ney de Toul, no início de dezembro de 1971, depois em cerca de vinte de estabelecimentos penitenciários franceses, detentos se amotinam e ocupam por algumas horas os terraços das prisões, gritando slogans que denunciam suas condições de detenção. Os presos discutem sua situação, mobilizam-se, redigem requerimentos, divulgam testemunhos. Tomam o poder de falar. Assim, a coletiva de imprensa que o GIP organiza de maneira grosseira no saguão do Ministério da Justiça, na Praça Vendôme, no fim da tarde de 17 de fevereiro de 1972, é o teatro de uma situação inédita; Foucault toma a palavra, mas faz a leitura de um texto redigido pelos detentos do presídio de Melun. Ou seja, no espaço por excelência do enunciado do direito, o Ministério da Justiça, o filósofo faz ressoar a voz daqueles que estavam até então privados dela. Não fala em nome deles nem por eles: constitui-se em transmissor.

Com a entrevista, Foucault leva ainda mais longe esse experimento com o exercício da fala. Sabe-se que quando de seu retorno à França, no fim dos anos 1960, após uma longa estadia na Suécia, na Polônia, na Alemanha e, finalmente, na Tunísia, Foucault é intensamente solicitado para dar entrevistas tanto na França quanto no exterior.[12] Geralmente ele aceita e se explica sobre suas pesquisas, suas posições, seu trabalho, em jornais e revistas. Ora, entre essas numerosas entrevistas, há quatro que se distinguem, pois constituem verdadeiras experiências de fala que visam a uma "destomada"[13] da posição de poder que o filósofo ocupa.

A conversa aqui publicada inaugura essa série. No momento em que Michel Foucault termina a

---

[12] ARTIÈRES, Philippe. Des espèces d'échafaudage [Espécies de andaimes]. *La Revue des Revues*, n. 30, 2001.

[13] Em francês, *déprise*. Poderia talvez ter traduzido por "destituição" ou "desinvestimento", mas como o conceito de "tomada da palavra" (*prise de parole*) é central para a reflexão de Artières, achei importante deixá-lo ecoar neste conceito de "destomada". (N.T.)

redação da *Arqueologia do saber*, Claude Bonnefoy lhe propõe publicar um livro de diálogos pelas edições Belfond. Foucault, então num desejo de explicitação de sua atitude intelectual, aceita. Mas desde as primeiras conversas, Bonnefoy orienta estas para uma perspectiva a que Foucault se mostra bastante reticente: trata-se de evocar o "avesso da tapeçaria", de abordar a relação que o autor da *História da loucura* mantém com a escrita. Assim, ao longo dos 10 encontros que ocorreram, Foucault pratica uma fala inédita, uma fala autobiográfica. Esse enunciado íntimo do autor sobre si mesmo acarreta uma mudança nas trocas orais entre os dois homens, uma modificação daquilo que, de início, devia ser uma entrevista tradicional. Para refletir sobre a maneira como trabalha, para contar suas dificuldades de *escrevente*,[14] Foucault adota um registro original, uma língua nova. Ao final dessa experiência, diz-se transformado e feliz por ter conseguido inventar um novo tipo de discurso: nem uma mera conversa nem uma "espécie de monólogo lírico".

Depois, é a vez de Gilles Deleuze, a quem a revista *L'Arc* desejava consagrar um número no início dos anos 1970, propor uma conversa a Michel Foucault. Ela constitui o único diálogo de Michel Foucault com um filósofo contemporâneo seu – se excetuarmos o debate com Noam Chomsky, que

---

[14] *Écrivant*. Como o próprio Foucault esclarecerá ao longo da conversa, o uso desse termo é tributário da célebre distinção barthesiana entre *écrivains* e *écrivants*, escritores e escreventes. (N.T.)

ocorreu no *set* de uma rede de televisão holandesa, mas que fracassou, transformando-se na verdade em dois monólogos paralelos. Já o diálogo com Deleuze é um verdadeiro exercício de pensar junto. Deleuze e Foucault pensam em voz alta, não sobre um texto, não sobre um quadro, mas a propósito da experiência que ambos acabam de conhecer no seio do GIP e por ocasião de outras mobilizações. Cada um poderia ter articulado seu trabalho à sua intervenção no espaço público, mas, em vez disso, eles definem juntos, a partir de suas experiências, um novo elo entre teoria e prática. A conversa deles não é a simples confrontação de pontos de vista, ela produz um diagnóstico sobre o que está acontecendo: a entrevista se transforma então em diálogo capaz de produzir novos conceitos.

Vários anos depois, Foucault experimenta outra forma de entrevista, como relata Claude Mauriac em *Mauriac et fils*,[15] que se aparenta ao diálogo platônico e que permanece absolutamente desconhecida até hoje. No entanto, essas entrevistas foram publicadas, em 1978, sob o nome de Thierry Voeltzel, com um prefácio de Claude Mauriac.[16] É que o nome de Foucault está ausente: o filósofo é aquele que faz perguntas a Thierry Voeltzel, jovem que tem 20 anos em 1976, no momento da

[15] MAURIAC, Claude. *Le Temps immobile 9: Mauriac et fils* [O tempo imóvel 9: Mauriac e filho]. Paris: Grasset, 1986. (N.T.)

[16] VOELTZEL, Thierry. *Vingt ans et après* [Vinte anos e depois]. Paris: Grasset, 1978.

gravação, sobre suas experiências pessoais. Por meio de questões muito diretas, Foucault dialoga com esse jovem homossexual sobre sua história, seus engajamentos e suas sexualidades. Aqui, portanto, Foucault inverteu o dispositivo para conduzi-lo ele próprio, e ficou formidavelmente entusiasmado com essa experiência que trouxe a lume uma fala "de enorme liberdade".

Decerto, essa experiência do anonimato deve ser colocada em relação com sua escolha, em fevereiro de 1980, quando, ao aceitar a solicitação de Christian Delacampagne para uma entrevista no jornal *Le Monde*, impõe como condição a ausência de qualquer menção a seu nome. Daniel Defert aponta que a identidade do filósofo, ocultada nessa entrevista publicada no número de 6 de abril de 1980, permaneceu desconhecida até a morte de Foucault. Por meio desse gesto que neutralizava os efeitos da notoriedade, ele pretendia se retirar da midiatização para melhor dar lugar ao debate de ideias. De fato, ele se insurge contra o recobrimento do pensamento pelo nome do autor e contra as impossibilidades que essa situação cria. Foucault, como repetiu várias vezes, escrevia para não ter mais rosto; ora, ele constata nesse final dos anos 1970 que esse objetivo se tornou impossível tanto em seus cursos no Collège de France quanto em suas intervenções: sua figura se tornou a de um *maître à penser.*[17] Ele foi apanhado na

[17] Um mestre cujo pensamento deve ser imitado, uma autoridade do pensamento... (N.T.)

rede que tanto combateu. O anonimato e a adoção de pseudônimos são maneiras que o filósofo encontra para escapar desse vedetismo. Assim, quando da mesa-redonda organizada pela revista *Esprit* sobre as "Lutas acerca das prisões",[18] Foucault usa o pseudônimo de "Louis Appert", nome de um filantropo das prisões do século XIX, autor de um notável *tour de France* das penitenciárias em 1836. Seu desejo de deixar a França é fruto da mesma constatação. Tudo se passa, portanto, como se Foucault buscasse, por meio dessa entrevista mascarada, reencontrar alguma coisa de uma palavra intacta, essa intensidade que experimentara com Claude Bonnefoy quase 12 anos antes.

Pois, o leitor pode ter certeza, alguma coisa de absolutamente inédito se enuncia ao longo dessa troca entre o filósofo e o crítico. O acontecimento é singular: a colocação em perigo de Foucault por si mesmo.

Roma, verão de 2011

---

[18] Luttes autour des prisons [Lutas acerca das prisões]. *Toujours les prisons*: *Esprit*, n. 11, p. 102-111, nov. 1979, retomado em FOUCAULT. *Dits et écrits*, texto n. 273.

Conversa entre Michel Foucault e Claude Bonnefoy 1968

Nota do editor

O texto a seguir é a primeira parte da transcrição da entrevista. Essas conversas ocorreram no verão-outono de 1968 visando à publicação de um livro pelas edições Belfond. O projeto foi abandonado. As condições em que esse texto foi estabelecido são desconhecidas; é provável que Claude Bonnefoy seja o autor da transcrição. Os erros ou imprecisões do datiloscrito foram corrigidos.

Agradecemos à família Foucault, à senhora Bonnefoy e a Daniel Defert por sua generosidade.

Ph. A.

Claude Bonnefoy: Eu não queria nestas conversas, Michel Foucault, levá-lo a redizer de outra maneira aquilo que você já expressou perfeitamente em seus livros nem obrigá-lo a comentar mais uma vez esses livros. Gostaria que essas conversas se situassem, se não em sua totalidade, ao menos em grande parte, à margem de seus livros, que elas nos permitissem descobrir o avesso deles, algo somo sua trama secreta. O que me interessa em primeiro lugar é sua relação com a escrita. Mas aí já entramos num paradoxo. Devemos falar, e é sobre a escrita que o interrogo. Assim, acho necessário colocar uma questão prévia: como você aborda essas entrevistas que teve a amabilidade de me conceder, como você concebe, antes mesmo de começar a jogar o jogo, o próprio gênero da entrevista?

Michel Foucault: Começarei dizendo que estou com um frio na barriga. No fundo, não sei muito bem por que sinto tanta apreensão diante dessas entrevistas, por que temo não dar conta delas. Pensando bem, me pergunto se não é pela seguinte razão: talvez porque sou um acadêmico, disponho de certo número de formas, de certo modo estatutárias, de linguagem. Há as coisas que escrevo, destinadas a compor artigos, livros, de qualquer maneira textos bastante discursivos e explicativos. Há outra linguagem estatutária que é a do ensino: o fato de falar a um auditório, de tentar ensinar alguma coisa. Finalmente, outra linguagem estatutária é a da exposição, da conferência que se faz em público ou a seus pares para tentar explicar seu trabalho, suas pesquisas.

Quanto ao gênero da entrevista, pois bem, confesso que não o conheço. Penso que as pessoas que se movem com mais facilidade que eu no mundo da linguagem, para quem o universo da linguagem é um universo livre, sem barreiras, sem instituições prévias, sem fronteiras, sem limites, ficam realmente à vontade numa entrevista e não se colocam demais o problema de saber o que é uma entrevista ou o que têm a dizer. Imagino que elas são atravessadas pela linguagem e que a presença de um microfone, a presença de um entrevistador, a presença de um livro futuro formado pelas próprias palavras que estão sendo pronunciadas não devem impressioná-las muito, e que nesse espaço da linguagem que lhes é aberto elas se sentem realmente livres. Já eu, nem um pouco! E me pergunto que tipo de coisas vou poder dizer.

C.B.: Isso teremos de descobrir juntos.

M.F.: Você me disse que não se trataria nessas conversas de redizer aquilo que eu já disse em outros lugares. De fato, acho que seria rigorosamente incapaz disso. Contudo, o que você me pede tampouco são confidências, não é minha vida nem aquilo que sinto. Seria preciso, portanto, que conseguíssemos encontrar uma espécie de nível de linguagem, de fala, de troca, de comunicação que não seja nem exatamente da ordem da obra, nem da explicação, nem tampouco da confidência. Então vamos tentar. Você estava falando da minha relação com a escrita.

C.B.: Quando se lê a *História da loucura* ou *As palavras e as coisas*, o que impressiona é ver um pensamento analítico extremamente preciso e penetrante sustentado por uma escrita cujas vibrações não são unicamente as de um filósofo, mas revelam um escritor. Nos comentários que foram escritos sobre sua obra, encontram-se suas ideias, seus conceitos, suas análises, mas falta esse arrepio que dá a seus textos uma dimensão maior, uma abertura para um domínio que não é apenas o da escrita discursiva, mas também da escrita literária. Ao lê-lo, temos a impressão de que seu pensamento é inseparável de uma formulação a um só tempo rigorosa e modulada, que o pensamento seria menos exato se a frase não tivesse encontrado também sua cadência, se ela não fosse também transportada e desenvolvida por essa cadência. Gostaria, portanto, de saber o que representa para você o fato de escrever.

M.F.: Quero antes de tudo esclarecer isto: não sou, pessoalmente, muito fascinado pelo lado sagrado da escrita. Sei que atualmente ele é experimentado pela maior parte das pessoas que se dedicam seja à literatura, seja à filosofia. O que o Ocidente, decerto, aprendeu desde Mallarmé é que a escrita tem uma dimensão sagrada, que ela é uma espécie de atividade em si, não transitiva. A escrita é erigida a partir de si mesma, não tanto para dizer, para mostrar ou para ensinar alguma coisa, mas para estar ali. Essa escrita é atualmente, de certa forma, o próprio monumento do ser da linguagem. No que diz respeito a minha experiência vivida, confesso que não é de modo algum assim que, para mim, a escrita se apresentou. Sempre tive para com a escrita uma desconfiança quase moral.

C.B.: Pode explicar isso? Mostrar como abordou a escrita? Lembro mais uma vez que o que me interessa aqui é o Michel Foucault escritor.

M.F.: A resposta que vou lhe dar talvez o surpreenda um pouco. Sei fazer sobre mim mesmo – e me agrada fazê-lo com você sobre mim mesmo – um exercício bem diferente daquele que fiz sobre os outros. Sempre tentei, quando falava de um autor, não levar em conta seus fatores biográficos, nem o contexto social e cultural, nem o campo de conhecimento em que ele pôde nascer e se formar. Sempre tentei como que abstrair aquilo que normalmente se chamaria sua psicologia para fazê-lo funcionar como um puro sujeito falante.

Pois bem, pode crer, vou aproveitar a ocasião que você me oferece ao colocar essas questões para fazer sobre mim exatamente o contrário. Vou fazer uma retratação. Voltar contra mim mesmo o sentido do discurso que desenvolvi a propósito dos outros. Vou tentar lhe dizer o que foi para mim, ao longo da minha vida, a escrita. Uma das minhas mais constantes recordações – certamente não a mais antiga, mas a mais obstinada – é a das dificuldades que tive para escrever bem. Escrever bem no sentido que isso tem nas escolas primárias, ou seja, encher páginas com uma letra bem legível. Acho – na verdade tenho certeza – que eu era na minha sala e na minha escola o mais ilegível. Isso durou muito tempo, até os últimos anos do ensino fundamental. No quinto ano, faziam-me encher páginas especiais de caligrafia, de tanta dificuldade que eu tinha para segurar minha caneta da maneira correta e traçar como devia os signos da escrita.

Está aí, portanto, uma relação com a escrita um pouco complicada, um pouco sobrecarregada. Mas há outra recordação, bem mais recente. É o fato de que, no fundo, nunca levei muito a sério a escrita, o ato de escrever. Só fui sentir vontade de escrever por volta dos 30 anos. Claro, eu tinha feito estudos chamados literários. Mas você pode imaginar que esses estudos literários – o hábito de fazer análises literárias, de redigir dissertações, de passar por exames – não contribuíram muito para criar em mim o gosto pela escrita. Muito pelo contrário.

Para chegar a descobrir o prazer possível da escrita, foi preciso que eu estivesse no exterior. Estava então na Suécia, obrigado a falar ou sueco, que conheço muito mal, ou inglês, que pratico com bastante dificuldade. Meu pouco conhecimento dessas línguas me impediu durante semanas, meses e mesmo anos de dizer realmente o que queria. Via as palavras que queria dizer se travestirem, simplificarem-se, tornarem-se como que marionetes irrisórias à minha frente no momento em que as pronunciava.

Nessa impossibilidade em que me encontrei de utilizar minha própria língua, percebi, em primeiro lugar, que ela tinha uma espessura, uma consistência, que não era simplesmente como o ar que se respira, uma transparência absolutamente insensível; depois, que ela tinha suas leis próprias, seus corredores, seus atalhos, suas linhas, suas escarpas, suas costas, suas asperezas, em suma, que ela tinha uma fisionomia e formava uma paisagem onde a gente podia passear e descobrir, no desvio das palavras, ao redor das frases, bruscamente, pontos de vista que não apareciam anteriormente. Naquela Suécia onde eu devia falar uma língua que me era estrangeira, compreendi que podia habitar minha língua, com sua fisionomia subitamente particular, como sendo o lugar mais secreto, porém mais seguro, de minha residência nesse lugar sem lugar que é o país estrangeiro onde nos encontramos. No final, a única pátria real, o único chão sobre o qual se pode andar, a única casa onde podemos nos deter e nos abrigar é a língua, aquela que aprendemos desde a infância. Tratou-se para mim, então, de reanimar essa língua, de construir para mim uma espécie de casinha da linguagem da qual eu seria o dono e conheceria cada cantinho. Acho que foi isso que me deu vontade de escrever. Entre prazer de escrever e possibilidade de falar, existe certa relação de incompatibilidade. Ali onde não é mais possível falar, descobre-se o encanto secreto, difícil, um pouco perigoso de escrever.

C.B.: Por muito tempo, você disse, escrever não lhe pareceu uma atividade séria. Por quê?

M.F.: Sim. Até essa experiência, a escrita não era para mim uma coisa muito séria. Era mesmo alguma coisa perfeitamente leviana. Escrever era fazer vento. Aí me pergunto se não era o sistema de valores de minha infância que se expressava nessa depreciação da escrita. Pertenço a um ambiente médico, um desses ambientes médicos de província que, em relação à vida meio adormecida de uma cidadezinha, é, decerto, um ambiente intermediário, ou, como se diz, progressista. Mesmo assim, o ambiente médico em geral, particularmente na província, não deixa de ser profundamente conservador. É um ambiente que pertence ainda ao século XIX. Haveria um belíssimo estudo sociológico a ser feito sobre o ambiente médico na França provincial. Através dele se perceberia que foi no século XIX que a medicina, mais precisamente o personagem do médico, aburguesou-se. No século XIX, a burguesia encontrou na ciência médica, na preocupação com o corpo e com a saúde, uma espécie de racionalismo cotidiano. Nesse sentido, pode-se dizer que o racionalismo médico substituiu a ética religiosa. Foi um médico do século XIX que pronunciou esta frase muito profunda: "No século XIX, a saúde substituiu a salvação".

Acredito que esse personagem do médico assim formado e um pouco sacralizado no século XIX, que tomou o lugar do padre, que reuniu ao seu redor, para racionalizá-las, todas as velhas crenças e credulidades da província, dos camponeses, da pequena burguesia francesa dos séculos XVIII e XIX, acredito que esse personagem permaneceu bastante estagnado, bastante imóvel, bastante igual a si mesmo desde essa data. Vivi nesse ambiente onde a racionalidade se reveste de um prestígio quase mágico, nesse ambiente cujos valores são opostos aos da escrita.

De fato, o médico, e particularmente o cirurgião – ora, sou filho de cirurgião –, não é aquele que fala, é aquele que escuta. Ele escuta a fala dos outros, não para levá-la a sério, não para compreender o que ela quer dizer, mas para rastrear através dela os sinais de uma doença séria, ou seja, de uma doença do corpo, de uma doença orgânica. O médico escuta, mas é para atravessar a fala do outro e atingir a verdade muda de seu corpo. O médico não fala, ele age, ou seja, apalpa, intervém. O cirurgião descobre a lesão no corpo adormecido, abre o corpo e volta a costurá-lo, opera; tudo isso no mutismo, na redução absoluta da fala. As únicas palavras que pronuncia são as palavras breves do diagnóstico e da terapêutica. O médico só fala para dizer, em uma palavra, a verdade e prescrever a receita. Nomeia e prescreve, pronto. Nesse sentido, a fala do médico é extraordinariamente rara. Decerto, foi essa desvalorização profunda, funcional, da palavra na velha prática da medicina clínica que pesou sobre mim por muito tempo e que fez com que até 10, 12 anos atrás a palavra, para mim, fosse ainda e sempre vento.

C.B.: Quando começou a escrever, houve, portanto, uma inversão em relação a essa concepção primeira e desvalorizadora da escrita.

M.F.: A inversão vinha, evidentemente, de mais longe. Mas cairíamos aí numa autobiografia ao mesmo tempo anedótica e banal demais para que seja interessante nos determos nela. Digamos que foi por meio de um longo trabalho que, finalmente, atribuí a essa palavra tão profundamente desvalorizada certo valor e lhe conferi certo modo de existência. Atualmente, o problema que me preocupa, que, na verdade, não parou de me preocupar de 10 anos para cá, é este: numa cultura como a nossa, numa sociedade, o que é a existência das falas, da escrita, do discurso? Pareceu-me que nunca tinha sido atribuída suficiente importância ao fato de que, no fim das contas, os discursos existem. Os discursos não são apenas uma espécie de película transparente através da qual se veem as coisas, não são simplesmente o espelho daquilo que é e daquilo que se pensa. O discurso tem sua consistência própria, sua espessura, sua densidade, seu funcionamento. As leis do discurso existem como as leis econômicas. Um discurso existe como um monumento, como uma técnica, como um sistema de relações sociais, etc.

É essa densidade própria ao discurso que tento interrogar. Isso, é claro, marca uma conversão total em relação àquilo que era para mim a desvalorização absoluta da palavra quando era criança. Parece-me – penso que está aí a ilusão de todos aqueles que acreditam descobrir alguma coisa – que meus contemporâneos são vítimas das mesmas miragens que minha infância. Eles também acreditam facilmente demais, como acreditei outrora, como se acreditava em minha família, que o discurso, a linguagem, no fundo não é grande coisa. Sei muito bem que os linguistas descobriram que a linguagem era muito importante porque obedecia a leis, mas insistiram sobretudo na estrutura da língua, isto é, na estrutura do discurso possível. Mas me interrogo é sobre o modo de aparição e de funcionamento do discurso real, sobre as coisas que foram efetivamente ditas. Trata-se de uma análise das coisas ditas na medida em que são coisas. O oposto daquilo que eu pensava quando era criança.

Apesar de tudo, qualquer que seja minha conversão, devo ter guardado de minha infância, e até em minha escrita, certo número de filiações que deve dar para encontrar. Por exemplo, o que chama muito a minha atenção é que meus leitores costumam imaginar que há em minha escrita certa agressividade. Pessoalmente, eu não a percebo assim de modo algum. Creio nunca ter atacado realmente, nominalmente, alguém. Para mim, escrever é uma atividade extremamente suave, discreta. Tenho como que uma impressão de veludo quando escrevo. Para mim, a ideia de uma escrita aveludada é como que um tema familiar, no limite do afetivo e do perceptivo, que não para de assombrar meu projeto de escrever, de guiar minha escrita quando estou escrevendo, que me permite, a cada instante, escolher as expressões que quero utilizar. O aveludado, para minha escrita, é uma espécie de impressão normativa. Fico, portanto, muito surpreso ao ver que as pessoas reconhecem antes em mim a escrita seca e mordaz. Pensando bem, acho que elas é que têm razão. Imagino que haja em minha caneta uma velha herança do bisturi. Talvez, no fim das contas:

será que não traço na brancura do papel aqueles mesmos signos agressivos que meu pai traçava no corpo dos outros quando operava? Transformei o bisturi em caneta. Passei da eficácia da cura à ineficácia do livre enunciado; substituí a cicatriz sobre o corpo pelo grafite sobre o papel; substituí o inapagável da cicatriz pelo signo perfeitamente apagável e rasurável da escrita. Talvez deva mesmo ir mais longe: a folha de papel talvez seja, para mim, o corpo dos outros.

O que é certo, o que percebi imediatamente quando, por volta dos 30 anos, comecei a sentir o prazer de escrever, foi que esse prazer sempre esteve um pouco ligado à morte dos outros, à morte em geral. Essa relação entre a escrita e a morte, mal ouso falar dela, pois sei o quanto alguém como Blanchot disse sobre esse tema coisas muito mais essenciais, gerais, profundas, decisivas que aquilo que posso dizer agora. Falo aqui no nível dessas impressões que são como o avesso da tapeçaria que tento seguir atualmente, e me parece que o outro lado da tapeçaria é tão lógico e, afinal, tão bem – ou mal – desenhado quanto o anverso que mostro aos outros.

Com você, gostaria de me deter um pouco sobre esse avesso da tapeçaria. E direi que a escrita, para mim, está ligada à morte, talvez essencialmente à morte dos outros, mas isso não significa que escrever seja como assassinar os outros e consumar contra eles, contra sua existência, um gesto definitivamente mortífero que os expulsaria da presença, que abriria diante de mim um espaço soberano e livre. De modo algum. Para mim, escrever é mesmo lidar com a morte dos outros, mas é essencialmente lidar com os outros na medida em que já estão mortos. Falo de certa forma sobre o cadáver dos outros. Devo confessar, postulo um pouco sua morte. Falando deles, estou na situação do anatomista que faz uma autópsia. Com minha escrita, percorro o corpo dos outros, faço incisões nele, levanto os tegumentos e as peles, tento descobrir os órgãos e, trazendo-os à luz, fazer enfim aparecer esse foco de lesão, esse foco de doença, esse algo que caracterizou sua vida, seu pensamento e que, em sua negatividade, finalmente organizou tudo aquilo que eles foram. Esse coração venenoso das coisas e dos homens, eis, no fundo, o que sempre tentei trazer à luz. Assim, compreendo por que as pessoas sentem minha escrita como uma agressão. Elas sentem que há nela alguma coisa que as condena à morte. Na verdade, sou muito mais ingênuo que isso. Não as condeno à morte. Suponho simplesmente que já estão mortas. É por isso que fico muito surpreso quando as ouço gritar. Fico tão espantado quanto o anatomista que sentisse bruscamente despertar sob seu bisturi o homem sobre o qual quis fazer uma demonstração. Bruscamente, os olhos se abrem, a boca começa a urrar, o corpo a se retorcer, e o anatomista se espanta: "Puxa, então ele não estava morto!". Acho que é isso que me acontece com aqueles que me criticam ou que gritam contra mim depois de terem me lido. Sempre tenho dificuldade em lhes responder, senão por meio de uma desculpa, desculpa que tomam talvez por um rasgo de ironia, mas que é verdadeiramente a expressão de meu espanto: "Puxa, então eles não estavam mortos!".

C.B.: Penso aqui no que pode ser a relação com a morte para um escritor como Genet. Quando escreve para o povo dos mortos, quando quer animar o teatro da morte, fazer-se o ministro desse teatro de sombra, ele se situa deliberadamente do outro lado, no avesso de nosso mundo, ao mesmo tempo para agredi-lo e para superá-lo. Há também nele vontade de valorizar o crime, de colocar o leitor no lugar da vítima. Sua atitude é ao mesmo tempo poética e passional. Em você, me parece que essa relação é extremamente diferente, na medida em que o olhar que lança sobre a morte é um olhar clínico, neutro.

M.F.: Sim. Não tenho a pretensão de matar os outros com minha escrita. Só escrevo sobre o fundo da morte já declarada dos outros. É porque os outros estão mortos que posso escrever, como se, de certa forma, suas vidas, enquanto eles estavam ali, sorrindo, falando, tivessem me impedido de escrever. Ao mesmo tempo, a única homenagem que minha escrita pode lhes prestar é a de descobrir ao mesmo tempo a verdade de suas vidas e de suas mortes, o segredo doentio que explica a passagem de suas vidas a suas mortes. Para mim, no fundo, o lugar de possibilidade da escrita é esse ponto onde a vida dos outros descambou para a morte.

C.B.: Isso explica por que a maior parte de seus textos versa sobre os sistemas de conhecimento e os modos de discurso do passado?

M.F.: Sim, acho que a partir daí deve dar para explicar certas coisas. E, em primeiro lugar, o fato de que, para mim, é sempre muito difícil falar do presente. Claro, acho que eu até poderia falar das coisas que ainda estão muito próximas de nós, mas sob a condição de que houvesse entre essas coisas bem próximas e o momento em que escrevo essa ínfima defasagem, essa fina película através da qual a morte se instaurou. Em todo caso, o tema que se encontra tão frequentemente em todas as justificativas da escrita – escrever para fazer reviver, escrever para reencontrar o segredo da vida, escrever para atualizar essa palavra viva que é ao mesmo tempo a dos homens e, provavelmente, a de Deus – me é profundamente estranho. Para mim, a palavra só começa após a morte, só uma vez estabelecida essa ruptura. A escrita é para mim a deriva do pós-morte, e não a marcha rumo à fonte da vida. Talvez seja isso o que torna minha forma de linguagem profundamente anticristã, provavelmente bem mais que os temas em que não paro de remexer.

Em certo sentido, é provavelmente por isso que me interesso pelo passado. Não me interesso, de modo algum, pelo passado para tentar fazê-lo reviver, mas sim porque ele está morto. Não há aí nenhuma teleologia de ressurreição, mas, isto sim, a constatação de que esse passado está morto. É a partir dessa morte que se pode dizer dele coisas absolutamente serenas, completamente analíticas e anatômicas, não dirigidas a uma possível repetição ou ressurreição. Por essa razão também, nada está mais longe de mim que o desejo de encontrar no passado o segredo da origem.

Daí, para mim, este outro problema. Quando escrevo, não sei dizer se estou fazendo história da filosofia. Muitas vezes me perguntaram o que era, para mim, escrever aquilo que escrevia, de onde eu falava, o que aquilo queria dizer, por que aquilo e não outra coisa, se eu era filósofo, ou se era historiador, ou sociólogo, etc. Eu ficava bem embaraçado para responder. Se tivessem me dado uma liberdade de resposta tão grande quanto a que você me oferece hoje, acho que teria respondido com toda brutalidade: não sou nem um nem outro, sou médico, digamos que sou um diagnosticador. Quero fazer um diagnóstico, e meu trabalho consiste em trazer à luz através da própria incisão da escrita algo que seja a verdade daquilo que está morto. Nessa medida, o eixo de minha escrita não se estende da morte à vida ou da vida à morte, ele está antes no eixo que se estende da morte à verdade e da verdade à morte. Acho que a alternativa à morte não é a vida, e sim a verdade. O que é preciso reencontrar através da brancura e da inércia da morte não é a vibração perdida da vida, e sim o desdobramento meticuloso da verdade. É nessa medida que eu me diria um diagnosticador. Mas o diagnóstico é a obra do historiador, do filósofo, daquele que faz política? Não sei. Em todo caso, trata-se de uma atividade de linguagem que é para mim muito profunda. No fundo, não escrevo porque tenho alguma coisa na cabeça, não escrevo para demonstrar aquilo que já, em meu foro interior e para mim mesmo, demonstrei e analisei. A escrita consiste essencialmente em empreender uma tarefa graças à qual e ao final da qual poderei, para mim mesmo, encontrar alguma coisa que não tinha visto inicialmente. Quando começo a escrever um estudo, um livro, qualquer coisa, não sei realmente aonde isso vai, nem em que vai dar, nem o que demonstrarei. Só descubro o que tenho para demonstrar no próprio movimento da escrita, como se escrever fosse precisamente diagnosticar aquilo que eu queria dizer no exato momento em que comecei a escrever. Penso que nisso sou realmente fiel a minha herança, já que, como meu pai e meus avôs, quero fazer um diagnóstico. Só que, diferentemente deles – e é nisso que me separo e me volto contra eles –, esse diagnóstico, quero fazê-lo a partir da escrita, quero fazê-lo nesse elemento do discurso que os médicos, normalmente, reduzem ao silêncio.

Peço desculpas por invocar aqui outro parentesco que me esmaga. Penso que o interesse que sempre manifestei por Nietzsche, o fato de que nunca pude situá-lo absolutamente como um objeto de que se fala, de que tenha sempre tentado colocar minha escrita sob a égide dessa figura um pouco intemporal, maior, paterna, de Nietzsche, está precisamente ligado a isto: para Nietzsche, a filosofia era antes de tudo o diagnóstico, ela tinha de lidar com o homem na medida em que ele estava doente. Em suma, para ele, ela era ao mesmo tempo o diagnóstico e a violenta terapêutica das doenças da cultura.

C.B.: Aqui, duas questões que me parecem ligadas devem nos permitir prosseguir nessa análise de seu procedimento. Não terá sido para melhor controlar a escrita, esse instrumento de diagnóstico, que você escreveu inicialmente livros que se referiam à medicina ou a incluíam em seu campo de perspectiva, como a *História da loucura na idade clássica* e *Nascimento da clínica*? Na escolha desses temas – valorizados por sua relação com o mundo médico – não havia como que uma tentativa mais ou menos consciente de minimizar sua culpa por ter se tornado escritor?

M.F.: Na perspectiva em que me situo atualmente, na busca dessa quase-narrativa, acho que é preciso estabelecer uma grande diferença entre aquilo que pude dizer sobre a loucura e o que pude dizer sobre a medicina.

Se volto às minhas histórias de infância, a essa espécie de subterrâneo de minha escrita, tenho a viva lembrança de que, no ambiente médico onde vivia, não apenas a loucura, mas também a psiquiatria tinha um estatuto muito particular, para dizer a verdade, um estatuto muito pejorativo. Por quê? Porque, para um verdadeiro médico, para um médico que trata os corpos, e ainda mais para um cirurgião, que os abre, é evidente que a loucura é uma má doença. É uma doença que, *grosso modo*, não tem substrato orgânico, ou, em todo caso, na qual um bom médico não pode reconhecer um substrato orgânico bem definido. Nessa medida, trata-se de uma doença que prega uma peça no verdadeiro médico, que escapa da verdade normal, do patológico. Consequentemente, é uma falsa doença e está muito próxima de simplesmente não ser uma doença. Para chegar a essa última conclusão, a de que a loucura é uma doença que se pretende doença, mas que não o é, há apenas uma pequena distância a transpor. Não estou completamente certo de que, no ambiente onde vivi, esse passo não tenha sido dado com bastante facilidade no nível da conversação corrente ou, ao menos, no nível das impressões que as conversações correntes podem deixar no espírito de uma criança.

Se a loucura é uma falsa doença, então o que dizer do médico que a trata e que acredita que ela seja uma doença? Esse médico, o psiquiatra, é necessariamente um médico otário, que não sabe reconhecer que aquilo com que está lidando não é uma verdadeira doença, portanto um mau médico e, para dizer a verdade, um falso médico. Daí, sempre no nível dessas significações implícitas que, decerto, se inscrevem mais profundamente que as outras no espírito de uma criança, a ideia de que a loucura é uma falsa doença tratada por falsos médicos. Acho que o bom médico de província do século XX, cujos valores datam de meados do século XIX, é ainda mais alheio à loucura e à psiquiatria que à filosofia e à literatura. Interessando-me pela loucura, eu operava evidentemente uma dupla conversão, já que me interessava por ela e pelos médicos que a tinham tratado, mas não o fazia como médico.

Na verdade, a *História da loucura* é quase um acidente em minha vida. Escrevi-a no momento em que ainda não tinha descoberto o prazer de escrever. Simplesmente me comprometi com um editor a escrever uma pequena história da psiquiatria, um textinho rápido e fácil que teria sido consagrado ao saber psiquiátrico, à medicina e aos médicos. Mas diante da pobreza de uma semelhante história, coloquei-me uma questão ligeiramente diferente: qual foi então o modo de coexistência, ao mesmo tempo de correlação e de cumplicidade, entre a psiquiatria e os loucos? Como loucura e psiquiatria se constituíram paralelamente uma à outra, uma contra a outra, uma em face da outra, uma para captar a outra? Acho que só alguém que tinha, como eu, uma desconfiança quase hereditária, em todo caso muito arraigada em meu passado, em relação à psiquiatria poderia colocar esse problema. Do contrário, nunca teria me colocado a questão de saber como a medicina em geral e a doença em geral tinham se constituído em correlação uma com a outra. Eu pertencia de maneira profunda demais, insistente demais, a um ambiente médico para não saber que o médico está perfeitamente protegido contra a doença, e que a doença e o doente são para o médico objetos perfeitamente mantidos a distância. Tenho a clara lembrança de que, no fundo, quando eu era criança, nenhum de nós, na família, podia ficar doente: ficar doente era aquilo que acontecia aos outros, não a nós.

A ideia de que possa haver uma forma de medicina como a psiquiatria que não esteja absolutamente em posição de domínio em relação a seu objeto, de que tal medicina tenha podido estar, desde sua origem, desde sua possibilidade, e em todos seus desenvolvimentos e nervuras, em cumplicidade com a doença que ela trata e, portanto, com seu objeto, é uma ideia que a medicina tradicional poderia muito bem ter formulado. Penso que foi do fundo dessa desvalorização da loucura e da psiquiatria pela medicina tradicional que formulei o projeto de descrever a uma só vez e numa espécie de rede de perpétua interação a psiquiatria e a loucura. Sei que certo número de psiquiatras ficou bastante chocado com meu livro, que alguns viram nele um encarniçamento maldoso contra seu ofício. Talvez seja verdade. Decerto, havia essa desvalorização de que falo na origem da *História da loucura*. Mas, no fim das contas – peço desculpas por tomar um exemplo e um apadrinhamento tão elevados –, sabe-se muito bem, desde Nietzsche, que a desvalorização é um instrumento de saber e que se não sacudimos a ordem habitual das hierarquias de valores, os segredos do saber jamais se desvelam. Então, é possível que meu desprezo, esse desprezo muito arcaico, muito infantil, que a reflexão logo dissolveu mas decerto não suprimiu inteiramente, tenha me permitido descobrir certo número de relações a que, de outro modo, provavelmente teria permanecido cego. O que chama minha atenção atualmente é que, na recolocação em questão que muitos psiquiatras fazem de seu ofício, da ciência psicopatológica, da instituição psiquiátrica, do manicômio, encontro, muito mais elaborados e racionalizados, diversos temas que eu tinha cruzado historicamente. Eles também, decerto, foram obrigados, do interior de seu ofício, a desvalorizar, ou ao menos a desatolar e sacudir um pouco o sistema de valores a que estavam habituados e sobre o qual repousava tranquilamente a prática de seus antecessores.

C.B.: Suponho que, redigindo *Nascimento da clínica*, você não tenha encontrado problemas semelhantes. Estava voltando às fontes...

M.F.: Eu já disse de que forma minha herança médica estava presente para mim no fato de escrever. Em relação a isso, foi de uma maneira secundária e correlativa que tomei a medicina como objeto de estudo. Em *Nascimento da clínica*, eram precisamente a anatomia, a autópsia, o diagnóstico, o modo de conhecimento médico que estavam em questão. Mas, se eu estava tão obcecado por esse modo de conhecimento médico, foi decerto porque ele estava no interior de meu próprio gesto de escrever.

C.B.: Ao passo que escrever sobre a loucura, ao contrário, pelo duplo fato de escrever e de tratar da loucura, era romper com esse modo de conhecimento e dar um salto no desconhecido. Ao mesmo tempo, foi ali, a propósito da loucura, que se revelou seu talento de escritor.

M.F.: Eu não saberia dizer por que a escrita e a loucura entraram para mim em comunicação. É provável que a não-existência de ambas, seu não-ser, o fato de serem atividades falsas, sem consistência nem fundamento, espécies de nuvens sem realidade, tenha as aproximado. Mas é provável que haja outras razões. Em todo caso, em relação ao mundo médico onde vivi, situei-me francamente no domínio da irrealidade, da falsa aparência, da mentira e quase do abuso de confiança, dedicando-me à escrita por um lado e à especulação sobre a doença e a medicina mentais por outro. Acho que, na culpa que sinto ao escrever, na obstinação que demonstro de extinguir essa culpa continuando a escrever, há sempre um pouco disso.

Bem sei que não devia lhe dizer todas essas coisas, ou, antes, agrada-me dizê-las para você, mas não tenho certeza de que sejam boas para publicar. Fico um pouco apavorado diante da ideia de que um dia elas serão conhecidas.

C.B.: Teme mostrar demais a face secreta, noturna, de seu trabalho?

M.F.: Alguém cujos trabalhos são, *grosso modo* e apesar de tudo, trabalhos de história, alguém que pretende enunciar discursos relativamente objetivos, que pensa que seus discursos têm certa relação com a verdade, esse alguém tem realmente o direito de contar assim a história de sua escrita, de comprometer assim a verdade a que pretende com uma série de impressões, de lembranças, de experiências que são profundamente subjetivas? Bem sei que, fazendo isso, desfaço toda a seriedade de que tentei me ornar ao escrever. Mas o que você quer? Se me prestei com prazer a esse gênero de conversas, foi precisamente para desfazer minha linguagem habitual, para tentar destrançar seus fios, para apresentá-la como ela não se apresenta normalmente. Será que valeria a pena eu repetir sob uma forma mais fácil aquilo que já disse em outros lugares? É mais difícil para mim, mas, acredito, mais interessante, esfiapar, devolver a sua desordem primeira, a seu fluxo um pouco impalpável essa linguagem que tentei controlar e apresentar como um monumento ao mesmo tempo volumoso e liso.

C.B.: Fico feliz que você aceite essa aventura e que defina tão bem seus contornos e riscos. Para continuar essa exploração do avesso da tapeçaria, há uma pergunta que gostaria de fazer. Você mostrou muito bem de que herança vinha o olhar de diagnosticador que lança sobre as coisas e a inversão dessa herança que se manifestou em seu interesse pela loucura. Mas o que chama a atenção é que, em suas obras, mesmo quando fala da loucura e da medicina, escritores que não são nem médicos nem filósofos, e também pintores, não param de nos lançar sinais. As intuições, as verdades que nos transmitem esses escritores, esses pintores que você escolheu particularmente – penso em Sade, Roussel, Artaud, Bataille, Bosch ou Goya –, parecem ter sido arrancadas de um domínio secreto, misterioso, que confina com aquele da loucura e da morte. Assim, seu interesse por eles parece realmente justificado pelo que você já me disse. Mas não há algo mais? Suas frequentes referências a esses escritores, a esses pintores, não manifestam uma tentação pela escrita e pela expressão artística, uma interrogação sobre seu poder? Não há algo de fascinante nessa escrita que, de tanto se redobrar, se escavar, se enrolar em si mesma e se desatar, chega ao mesmo tempo a uma profunda verdade e, aí chegando, ameaça soçobrar –

ou ameaça aquele que a praticou, portou, de soçobrar – na loucura ou na morte?

M.F.: Você acaba de formular aí o problema que me coloco há muito tempo. É verdade que tenho um interesse muito constante, muito obstinado, por obras como as de Roussel ou de Artaud, como a de Goya também. Mas a maneira como me interrogo sobre essas obras não é a maneira tradicional. Em geral, o problema que se coloca é este: como pode acontecer que um homem que é um doente mental ou que é julgado como tal pela sociedade e pela medicina de seu tempo escreva uma obra que logo a seguir, ou anos, décadas, séculos mais tarde é reconhecida verdadeiramente como uma obra e como uma das obras maiores da literatura ou da cultura? Ou seja, a questão é saber como pode acontecer de a loucura ou a doença mental se tornarem criadoras.

Meu problema realmente não é esse. Nunca me interrogo sobre a natureza da doença que pode ter afetado pessoas como Raymond Roussel ou Antonin Artaud. Tampouco me pergunto que relação de expressão podia haver entre suas obras e sua loucura, nem como através de suas obras se reconhece o rosto mais ou menos tradicional, mais ou menos codificado, de uma determinada doença mental. Saber se Roussel era antes um neurótico obsessivo ou um esquizofrênico, isso não me interessa. O que me interessa antes é o problema seguinte: homens como Roussel e Artaud escrevem textos que, na própria época em que são dados a ler, seja a um crítico, seja a um médico, seja a um leitor normal, são imediatamente reconhecidos como aparentados à doença mental. Eles próprios, aliás, estabelecem no nível de sua experiência cotidiana uma relação muito profunda e muito constante entre sua escrita e sua doença mental. Roussel e Artaud nunca negaram que suas obras germinavam neles num nível que era também o da singularidade deles, da particularidade deles, de sua angústia e, finalmente, de sua doença. O que me admira aqui, aquilo sobre o que me interrogo, é isto: como é que uma obra dessas, que vem de um indivíduo que a sociedade desclassificou – e consequentemente excluiu – como doente, pode funcionar, e funcionar de uma maneira absolutamente positiva, no interior de uma cultura? Por mais que se diga que a obra de Roussel foi desprezada, ou se invoquem as reticências, o constrangimento, a recusa de Rivière[19] diante dos primeiros poemas de Artaud, não se pode negar que logo, com grande rapidez, a obra de Roussel e a obra de Artaud funcionaram de uma maneira positiva no interior de nossa cultura. Imediatamente, ou quase, elas passaram a fazer parte de nosso universo de discurso. Percebe-se então que, no interior de uma

[19] Em 1923, Antonin Artaud envia a Jacques Rivière, diretor da *Nouvelle Revue Française*, alguns poemas para publicação. Diante da recusa deste, estabelece-se uma correspondência sobre "o direito de Artaud à existência literária", que acaba, esta sim, por ser publicada, em 1924, na prestigiosa revista. (N.T.)

determinada cultura, há sempre uma margem de tolerância à desconfiança que faz com que alguma coisa que é, no entanto, medicamente considerada com desconfiança possa desempenhar um papel e tomar uma significação no interior de nossa cultura, de uma cultura. É esse funcionamento positivo do negativo que nunca cessou de me inquietar. Não me coloco o problema da relação obra-doença, mas da relação exclusão-inclusão: exclusão do indivíduo, de seus gestos, de seu comportamento, de seu caráter, daquilo que ele é, inclusão muito rápida e, no fim das contas, bastante fácil de sua linguagem.

Aqui, entro num domínio que você chamará como quiser, o domínio de minhas hipóteses ou de minhas obsessões. Sugerirei isto: numa época, numa cultura, numa certa forma de prática discursiva, o discurso e as regras de possibilidades são tais que um indivíduo pode ser psicológica e, de certa forma, anedoticamente louco, mas sua linguagem, que é a de um louco, pode – em virtude das regras do discurso na época em questão – funcionar de uma maneira positiva. Em outras palavras, a posição da loucura se encontra reservada e como que indicada em certo ponto do universo possível do discurso num determinado momento. É esse lugar possível da loucura, essa função da loucura no universo do discurso que tentei balizar.

Tomemos um exemplo concreto. No que diz respeito a Roussel, meu problema era este: qual devia ser o estado, o funcionamento, o sistema de regulação interna da literatura para que os exercícios incrivelmente ingênuos e perfeitamente patológicos de Roussel – suas decomposições de palavras, suas recomposições de sílabas, suas histórias circulares, suas narrativas fantásticas, inventadas a partir de uma frase dada que ele sovava até que seus sons servissem de guia, de fios diretores para a composição de novas histórias – tenham podido figurar na literatura. Não apenas figurar na literatura da primeira metade do século XX, mas exercer aí um papel muito particular, muito forte, a ponto até de prefigurar a literatura da segunda metade do século XX. Considerando esse funcionamento positivo da linguagem louca num universo de discurso e numa cultura que excluíam os loucos, chega-se a formular esta hipótese: não seria necessário dissociar a função da loucura tal como ela é prescrita e definida pela literatura ou, de modo geral, pelo discurso, numa determinada época, e o personagem do louco? No fundo, pouco importa que Roussel tenha sido louco ou não, esquizofrênico ou neurótico obsessivo, pouco importa que ele tenha sido Roussel ou não, o interessante é que o sistema de regulação e de transformação da literatura no início do século XX era tal que exercícios como os seus puderam assumir ali um valor positivo e real, que eles puderam efetivamente funcionar como uma obra literária.

Você vê, portanto, que meu problema, que não é de modo algum um problema psicológico, mas um problema muito mais abstrato – e muito menos interessante também –, é o da posição e da função da linguagem louca no próprio interior de uma linguagem regular e normativa.

C.B.: Nós nos desviamos um pouco do problema inicial a que gostaria agora de voltar, aquele de sua relação com a escrita. Mas acho que podemos fazê-lo muito bem partindo desse mesmo desvio que lhe permitiu esclarecer algumas de suas pesquisas. Você estava falando dos exercícios de escrita ao mesmo tempo ingênuos e extremamente complicados que Raymond Roussel se impunha. Não se poderia ver na complexidade desses exercícios uma espécie de hipertrofia do amor pela linguagem, da prática da escrita pela escrita que, num escritor normal, simplesmente preocupado em escrever coisas perfeitamente pensadas numa linguagem elegante e eficaz, se chamaria prazer de escrever? Você mesmo, em certo momento, falou de sua descoberta do "prazer que há em escrever". Como esse prazer pode se manifestar na prática de uma escrita cuja meta é, em primeiro lugar, não se encantar consigo mesma – embora a sua escrita nos solicite e, de quebra, nos encante –, mas fazer surgir, revelar a verdade, ser mais um diagnóstico que um canto lírico?

M.F.: Você me coloca aí um bocado de problemas.

C.B.: Talvez demais. Vamos decompor.

M.F.: Vou tentar responder àqueles que me tocaram mais. Você falou do prazer de escrever e tomou como exemplo Roussel. Esse me parece, de fato, um caso realmente privilegiado. Assim como Roussel ampliou com um microscópio extremamente potente os microprocedimentos da escrita – simultaneamente reduzindo, por outro lado, no nível de sua temática, a enormidade do mundo a mecanismos absolutamente liliputianos –, o caso Roussel hipertrofia, por sua vez, o caso da escrita, o problema do escritor ao escrever.

Porém, fala-se do prazer de escrever. Será tão divertido assim escrever? Roussel não para, em *Como escrevi alguns de meus livros*, de lembrar com que penar, através de que agônicos transes, em meio a que dificuldades, a que angústias ele escrevia aquilo que tinha para escrever; os únicos grandes momentos de felicidade de que fala foram o entusiasmo, as iluminações que teve depois de terminar seu primeiro livro. Na verdade, afora essa experiência praticamente única em sua biografia, até onde sei, todo o resto não foi mais que uma longa marcha extraordinariamente sombria através de um túnel. O próprio fato de que, quando viajava, fechava as cortinas de seu carro para não ver ninguém, e nem mesmo a paisagem, de tanto que estava confiscado por seu trabalho, prova bem que não era numa espécie de encantamento, de deslumbramento, de acolhimento geral das coisas e do ser que Roussel escrevia.

Dito isso, existe um prazer de escrever? Não sei. Uma coisa é certa, existe, acredito, uma enorme obrigação de escrever. Essa obrigação de escrever, não sei muito bem de onde ela vem. Enquanto não se começou a escrever, escrever parece a coisa mais gratuita, mais improvável, quase a mais impossível, aquela a que, em todo caso, ninguém se sentiria obrigado. Então chega um momento – será na primeira página? na milésima? Será no meio do primeiro livro? ou depois? Ignoro – em que se percebe que se é absolutamente obrigado a escrever. Essa obrigação é anunciada, significada, de diferentes maneiras. Por exemplo, pelo fato de que se sente uma grande angústia, uma grande tensão, quando não se fez, como a cada dia, sua paginazinha de escrita. Escrevendo essa página, damo-nos a nós mesmos, damos à nossa existência uma espécie de absolvição. Essa absolvição é indispensável para a felicidade do dia. Não é a escrita que é feliz, é a felicidade de existir que depende da escrita, o que é um pouco diferente. Isso é muito paradoxal, muito enigmático, pois como pode ser que o gesto tão vão, tão fictício, tão narcísico, tão fechado sobre si mesmo que consiste em se sentar à escrivaninha de manhã e cobrir certo número de páginas brancas tenha esse efeito de benção sobre o resto do dia? Como a realidade das coisas – as ocupações, a fome, o desejo, o amor, a sexualidade, o trabalho – se vê transfigurada porque houve isso de manhã, ou porque se pôde fazer isso durante o dia? Está aí algo muito enigmático. Para mim, em todo caso, é uma das maneiras como se anuncia a obrigação de escrever.

Essa obrigação é significada também por outra coisa. Escreve-se sempre, no fundo, não apenas para escrever o último livro de sua obra, mas, de uma maneira muito delirante – e esse delírio, acredito, está presente no mais mínimo gesto da escrita –, para escrever o último livro do mundo. Para dizer a verdade, aquilo que se está escrevendo, no momento em que se está escrevendo, a última frase da obra que estamos terminando, é também a última frase do mundo, de maneira que, depois, não haja mais nada para dizer. Há uma vontade paroxística de esgotar a linguagem na menor frase. Isso decerto está ligado ao desequilíbrio existente entre o discurso e a língua. A língua é aquilo com o que se pode construir um número absolutamente infinito de frases e de enunciados. O discurso, ao contrário, por mais longo, por mais difuso que seja, mais ágil, mais atmosférico, mais protoplasmático, mais suspenso em seu porvir que se possa imaginá-lo, é sempre finito, sempre limitado. Nunca se chegará ao limite da língua com um discurso, por mais longo que se possa sonhá-lo. Essa inesgotabilidade da língua, que mantém o discurso sempre em suspenso num porvir que nunca se completará, é ainda outra maneira de experimentar a obrigação de escrever. Escreve-se para se chegar ao limite da língua, para se chegar, por conseguinte, ao limite de toda linguagem possível, para fechar enfim através da plenitude do discurso a infinidade vazia da língua.

E ainda mais isto, em que se verá que escrever é bem diferente de falar. Escreve-se também para não se ter mais rosto, para se fugir de si mesmo sob sua própria escrita. Escreve-se porque a vida que se tem ao redor, ao lado, fora, longe da folha de papel, essa vida que não é divertida, mas tediosa e cheia de problemas, que está exposta aos outros, se desmancha nesse retangulozinho de papel que temos debaixo dos olhos e de que somos mestres. Escrever, no fundo, é tentar fazer fluir, pelos canais misteriosos da pena e da escrita, toda a substância, não apenas da existência, mas do corpo, nesses traços minúsculos que depositamos sobre o papel. Não ser mais, em matéria de vida, que essa garatuja ao mesmo tempo morta e tagarela que depositamos sobre a folha branca, é com isso que se sonha quando se escreve. Mas a essa reabsorção da vida buliçosa no buliço das letras nunca chegamos. A vida sempre retoma fora do papel, sempre prolifera, continua, nunca chega a se fixar nesse retangulozinho, nunca o pesado volume do corpo chega a se desdobrar na superfície do papel, nunca passamos para esse universo de duas dimensões, para essa linha pura do discurso, nunca chegamos a nos fazer finos e sutis o bastante para não sermos nada mais que a linearidade de um texto, e, no entanto, é a isso que gostaríamos de chegar. Então, não paramos de tentar, de retomar, de nos confiscar a nós mesmos, de escorregar no funil da pena e da escrita, tarefa infinita, tarefa a que estamos fadados. A gente se sentiria justificado se só existisse nesse minúsculo arrepio, nesse ínfimo arranhão que se fixa e que é, entre a ponta da caneta e a superfície branca da folha, o ponto, o lugar frágil, o momento imediatamente desaparecido em que se inscreve uma marca enfim fixada, definitivamente estabelecida, legível apenas para os outros e que perdeu toda possibilidade de ter consciência de si mesma. Essa espécie de supressão, de mortificação de si na passagem aos signos, é isso, acredito, que dá também à escrita seu caráter de obrigação. Obrigação sem prazer, como vê, mas, no fim das contas, quando escapar a uma obrigação o entrega à angústia, quando infringir a lei o deixa na maior inquietude, na maior aflição, será que obedecer a essa lei não é a maior forma de prazer? Obedecer a essa obrigação que não se sabe nem de onde vem nem como se impôs a você, obedecer a essa lei, decerto narcísica, que pesa sobre você e o domina por toda parte, é isso, acredito, o prazer de escrever.

C.B.: Gostaria aqui de fazê-lo esclarecer uma ideia que já se delineava em sua concepção de escrita-diagnóstico. Não há, para aquele que escreve, uma outra obrigação? A de descobrir alguma coisa, descobrir talvez uma verdade que ele pressentia, mas que ainda não tinha sido formulada? Da mesma forma, não se tem sempre a impressão, quando se escreve, de que caso se tivesse escrito em outro momento, a página, o livro teriam sido diferentes, teriam tomado outra feição, que a escrita teria nos arrastado talvez para a mesma coisa, o mesmo ponto que se pressentia, que se buscava, que nos fixávamos como meta, mas por outros caminhos, outras frases. Você tem a impressão de dominar constantemente essa marcha da escrita? Ou, por vezes, de ser conduzido por ela?

M.F.: É aí que a obrigação da escrita não é em mim aquilo que se chama normalmente de vocação do escritor. Acredito muito na distinção, hoje célebre, feita por Roland Barthes entre escritores e escreventes. Não sou um escritor. Para começar, não tenho nenhuma imaginação. Sou de uma "ininventividade" total. Nunca consegui sequer conceber alguma coisa como o tema de um romance. Claro, tive às vezes vontade de escrever *nouvelles*[20] no sentido quase jornalístico do termo: contar microacontecimentos, contar, por exemplo, a vida de alguém, mas em cinco, 10 linhas, não mais do que isso. Não sou, portanto, um escritor. Situo-me resolutamente do lado dos escreventes, daqueles cuja escrita é transitiva. Quero dizer, do lado daqueles cuja escrita destina-se a designar, mostrar, manifestar fora dela própria alguma coisa

---

[20] *Nouvelle* pode significar tanto novela, ou conto, quanto nova, ou notícia. (N.T.)

que, sem ela, teria permanecido, se não oculta, ao menos invisível. Talvez seja aí que exista, apesar de tudo, para mim, um encantamento da escrita.

Não sou um escritor, porque a escrita tal como a pratico, o ínfimo trabalho que faço todas as manhãs, não é um momento que deve permanecer erigido sobre seu pedestal e se manter de pé a partir de seu próprio prestígio. Não tenho de modo algum a impressão, nem mesmo a intenção, de fazer uma obra. Tenho o projeto de dizer coisas.

Tampouco sou um intérprete. Quero dizer que não tento fazer aparecerem coisas absolutamente escondidas, camufladas, esquecidas há séculos ou milênios, nem reencontrar, por trás do que foi dito por outros, o segredo que quiseram ocultar. Não tento descobrir um outro sentido que estaria dissimulado nas coisas ou nos discursos. Não, tento simplesmente fazer aparecer o que está muito imediatamente presente e ao mesmo tempo invisível. Meu projeto de discurso é um projeto de presbita. Gostaria de fazer aparecer o que está próximo demais de nosso olhar para que possamos ver, o que está aí bem perto de nós, mas que nosso olhar atravessa para ver outra coisa. Devolver densidade a essa atmosfera que, à nossa volta, por toda parte, garante que vejamos as coisas longe de nós, devolver sua densidade e sua espessura àquilo que costumamos experimentar como transparência, está aí um dos projetos, dos temas que me são absolutamente constantes. Igualmente, chegar a circunscrever, a desenhar, a designar essa espécie de ponto cego a partir do qual falamos e vemos, a reconhecer aquilo que possibilita que tenhamos um olhar distanciado, a definir a proximidade que, à nossa volta, por toda parte, orienta o campo geral de nosso olhar e de nosso saber. Apreender essa invisibilidade, esse invisível do visível demais, esse afastamento daquilo que está próximo demais, essa familiaridade desconhecida, é para mim a operação importante de minha linguagem e de meu discurso.

C.B.: Seus livros nos propõem análises dos modos de saber ou de discurso do passado. Isso faz supor, antes da escrita, numerosas leituras, confrontações, comparações, escolhas, uma primeira elaboração do material. Tudo isso se ordena antes da escrita ou é a escrita que desempenha um papel determinante na maneira como você observa e desenha essa paisagem onde se inscrevem e se revelam, por exemplo, o pensamento clássico ou a instituição psiquiátrica?

M.F.: Você tem razão de fazer essa pergunta, pois tenho a impressão de ter sido abstrato demais. Se quiser, eu me divirto... enfim, leio assim, divirto-me lendo, um pouco por curiosidade, em todo caso através de um jogo de associações que não vem ao caso explicar aqui, livros de botânica do século XVII, livros de gramática do XVIII, livros de economia política da época de Ricardo, de Adam

Smith. Meu problema – e para mim a tarefa da escrita – não consiste em reescrever esses livros num vocabulário que seria o nosso. Tampouco tentar descobrir aquilo que se costuma chamar o impensado do discurso, saber aquilo que, no próprio texto de Ricardo, de Adam Smith, de Buffon, de Lineu, se encontra de certa forma presente – mas sem ter sido dito – nos interstícios, nas lacunas, nas contradições internas. Leio todos esses textos rompendo todas as familiaridades que poderíamos ter com eles, evitando todos os efeitos de reconhecimento. Tento erigi-los em sua singularidade, em sua maior estranheza, e isso a fim de que surja a distância que nos separa deles, a fim de poder introduzir minha linguagem, meu discurso, nessa distância mesma, nessa diferença em que nos encontramos situados e que somos em relação a eles. Inversamente, meu discurso deve ser o lugar onde essa diferença aparece. Ou seja, quando me interesso por objetos um pouco longínquos ou heteróclitos, o que gostaria de fazer aparecer não é o segredo que está além deles e que eles escondem por meio de sua presença manifesta, é antes essa atmosfera, essa transparência que nos separa deles e que, ao mesmo tempo, nos liga a eles e faz com que possamos falar deles, mas falar deles como de objetos que não são nossos próprios pensamentos, nossas próprias representações, nosso próprio saber. Assim, para mim, o papel da escrita é essencialmente um papel de colocação a distância e de medida da distância. Escrever é se situar nessa distância que nos separa da morte e daquilo que está morto. Ao mesmo tempo é aquilo em que essa morte vai se manifestar em sua verdade, não em sua verdade oculta e secreta, não na verdade daquilo que ela foi, mas nessa verdade que nos separa dela e que faz com que não estejamos mortos, com que eu não esteja morto no momento em que escrevo sobre essas coisas mortas. É essa relação que a escrita, para mim, deve constituir.

Nesse sentido, eu lhe dizia que não sou nem escritor nem hermeneuta. Se fosse hermeneuta, tentaria chegar ao que está por trás do objeto que descrevo, por trás desses discursos do passado para reencontrar seu ponto de origem e o segredo de seu nascimento. Se fosse escritor, só falaria a partir de minha própria linguagem e no encantamento de sua existência hoje. Não sou nem uma coisa nem outra, estou nessa distância entre o discurso dos outros e o meu. E meu discurso nada mais é que a distância que tomo, que meço, que acolho entre o discurso dos outros e o meu. Nesse sentido, meu discurso não existe, e é por isso que não tenho de modo algum a intenção nem a pretensão de fazer uma obra. Sei muito bem que não faço uma obra. Sou o agrimensor dessas distâncias, e meu discurso não é mais que o metro absolutamente relativo e precário por meio do qual meço todo esse sistema de afastamento e de diferença. Medir a diferença com aquilo que não somos, é nisso que exerço minha linguagem e é por isso que lhe dizia agora há pouco que escrever é perder seu próprio rosto, perder sua própria existência. Não escrevo para dar à minha existência uma solidez de monumento. Tento antes reabsorver minha própria existência na distância que a separa da morte e, provavelmente, por isso mesmo, a guia para a morte.

C.B.: Você diz que não faz uma obra e explica de maneira notável por quê. Mas eu lhe objetaria isto: que seu discurso tem uma singular ressonância hoje exatamente na medida em que não apenas nos permite avaliar a distância que nos separa dos discursos passados, e nisso atinge perfeitamente sua meta, mas também ilumina o presente, libera-o das velhas sombras que pesavam sobre ele. Mas minha questão não é essa. Quando diz que desaparece em seu discurso, isso me recorda o anúncio de outra desaparição que você faz no fim de *As palavras e as coisas*: a desaparição do homem. Depois de uma pesquisa sobre a constituição e a evolução das ciências humanas, você mostra que, justo no momento de seu desabrochar, de seu triunfo, seu objeto, o homem, está desaparecendo, apagando-se na trama ininterrupta do discurso. Desculpe-me por fazer uma pergunta bem imprudente, talvez pessoal demais e baseada em aparentes semelhanças, mas não haveria algum parentesco entre essas duas desaparições, a sua, na escrita, e a do homem?

M.F.: Você tem toda razão de fazer essa pergunta. Se quiser, poderemos ou abordar numa outra entrevista ou relegar ao esquecimento o problema do que eu quis dizer muito precisamente nesse fim de *As palavras e as coisas*. O que é certo é que entre esse tema da desaparição do homem e aquilo que é para mim a obrigação de escrever, o próprio trabalho de minha escrita, há de fato um parentesco. Sei perfeitamente o risco que corro ao dizer isso, pois vejo já se delinear a sombra grotesca do psiquiatra que encontrará no que estou dizendo os signos de minha esquizofrenia, em primeiro lugar, e, em seguida, do caráter propriamente delirante, portanto não objetivo, não verdadeiro, não racional, não científico daquilo que disse em meus livros.

Sei que corro esse risco, mas faço isso com o coração absolutamente leve. Essas conversas que você teve a gentileza de me solicitar me divertem muito na medida em que, justamente, não tento através delas me explicar mais e melhor sobre aquilo que disse em meus livros. Não penso que isso seria possível nessas conversas, sobretudo nessa sala que sinto já povoada pelos milhares de exemplares do livro futuro, pelos milhares de rostos que o lerão, onde essa terceira presença do livro e dos leitores futuros é extraordinariamente pesada. O que me agrada é que não sabemos aonde vamos. Estou fazendo com você uma espécie de experiência. Estou tentando declinar pela primeira vez, em primeira pessoa, esse discurso neutro, objetivo, em que nunca deixei de querer me apagar quando escrevia meus livros. Por conseguinte, o parentesco que você aponta entre a desaparição do homem e a experiência que faço da escrita é evidente. As pessoas farão disso o que quiserem. Denunciarão decerto o caráter quimérico daquilo que eu quis afirmar. Outros verão talvez naquilo que lhe digo não um verdadeiro discurso sincero, mas uma projeção sobre mim mesmo de temas mais ou menos teóricos e ideológicos que quis formular em meus livros. Pouco importa de que maneira lerão essa relação e esse parentesco entre o livro e mim e entre mim e o livro. Sei, de qualquer forma, que meus livros serão comprometidos pelo que digo, e eu também. É o belo perigo, o perigo divertido dessas conversas. Então, deixemos aparecer esse parentesco, deixemos aparecer essa comunicação.

C.B.: Como experimentar essa ação descrita, essa desaparição na escrita no momento em que você escreve?

M.F.: Quando escrevo, é claro que sempre tenho alguma coisa em mente. Ao mesmo tempo, dirijo-me sempre a alguma coisa que está fora de mim, a um objeto, a um domínio a descrever, à gramática ou à economia política do século XVII, ou ainda à experiência da loucura durante o período clássico. E, contudo, esse objeto, esse domínio, não tenho de modo algum a impressão de descrevê-lo, de me colocar como que à escuta daquilo que ele mesmo diz, de traduzir com palavras sobre o papel e num certo estilo uma certa representação que eu teria elaborado daquilo que tento descrever. Eu já lhe disse, tento fazer aparecer a distância a que estou, a que estamos dessas coisas, minha escrita é a própria descoberta dessa distância. Acrescentarei isto: tenho como que a cabeça vazia no momento em que começo a escrever, embora tenha sempre a mente dirigida para um objeto preciso. Isso faz com que, evidentemente, para mim, escrever seja uma atividade muito esgotante, muito difícil, muito angustiante também. Sempre tenho medo de falhar; falho, erro indefinidamente o alvo, é claro. Isso faz também com que aquilo que me leva a escrever não seja tanto a descoberta ou a certeza de certa relação, de certa verdade, mas bem mais o sentimento que tenho de que certa forma de escrita, certo modo de funcionamento de minha escrita, certo estilo permitirá fazer surgir essa distância.

Por exemplo, um dia, em Madri, fiquei fascinado por *Las meninas*, de Velásquez. Fiquei olhando esse quadro por muito tempo, assim, sem pensar em falar dele um dia, muito menos em descrevê-lo – o que, naquele momento, teria me parecido irrisório e ridículo. Então, um dia, já não sei muito bem como, sem tê-lo revisto, sem sequer ter olhado reproduções, senti vontade de falar de memória desse quadro, de descrever o que havia ali dentro. Assim que tentei descrevê-lo, certa coloração da linguagem, certo ritmo, certa forma de análise, sobretudo, me deram a impressão, a quase certeza – falsa, talvez – de que eu tinha exatamente ali o discurso através do qual poderia surgir e se medir a distância a que estamos da filosofia clássica da representação e do pensamento clássico da ordem e da semelhança. Foi assim que comecei a escrever *As palavras e as coisas*. Para esse livro, utilizei todo um material que reunira nos anos precedentes um pouco ao acaso, sem saber o que faria, não tendo certeza alguma sobre a possibilidade de um dia transformá-lo num estudo. Era uma espécie de material morto que eu percorria um pouco como uma espécie de jardim desértico, como uma extensão inutilizável, que eu percorria como, imagino, o escultor de outrora, o escultor dos séculos XVII e XVIII, devia contemplar, tocar, o bloco de mármore, sem saber ainda o que fazer dele.

[*A transcrição se interrompe aqui.*]

Breve cronologia

Michel Foucault (1926-1984)

1946 • ingresso na École Normale Supérieure. Frequenta um curso de filosofia e psicologia.

1957 • vai, por conta do Ministério das Relações Exteriores, para a Suécia, depois para a Polônia e para a Alemanha.

1961 • publicação de *História da loucura na idade clássica.*

1963 • publicação de *Nascimento da clínica.*

1966 • publicação de *As palavras e as coisas.*

1968 • conversas com Claude Bonnefoy.

1969 • publicação de *Arqueologia do saber.*

1970 • eleito professor no Collège de France.

1971-1972 • intervém no Grupo de Informação sobre as Prisões que fundou com Pierre Vidal-Naquet e Jean-Marie Domenach.

1976-1984 • publicação de *História da sexualidade* (3 vol.).

1995 • publicação de *Ditos e escritos* (4 vol. [em português, 10 vol.]).

1997 • início da publicação dos cursos ministrados no Collège de France.

Claude Bonnefoy (1929-1979)

1948 • ganha o Prêmio Paul Valéry de Poesia.

1964 • torna-se crítico literário na revista *Arts* e depois nas revistas *Nouvel Observateur* e *Quinzaine Littéraire.*

1966 • conversas com Eugène Ionesco. Reeditadas em 1977 sob o título *Entre a vida e o sonho.*

1975 • publicação de *A poesia francesa das origens a nossos dias* (antologia).

Este livro foi composto com tipografia Bembo Std e impresso
em papel Off-White 90 g/m² na Intergraf.